Dyddiadur
Nel

a <u>MiA HAF</u>

Rho dy enw di ar y llinell.

Diolch

I fy merched, Mia Seren ac Esther Alys, a'u ffrindiau i gyd
am fy ysbrydoli, ac i bob un plentyn rwy wedi cwrdd â nhw
wrth ddarllen storïau *Na, Nel!*, am eich cwmni hwyliog.

I John Lund am y lluniau bendigedig o Nel ac i bawb yn y Lolfa am eu
cefnogaeth, ond yn arbennig i Meinir Wyn Edwards a Nia Peris.

Mae fy niolch pennaf i Sion Ilar am roi ei amser sbâr i ddylunio'r llyfr hwn
a llunio'r lluniau bach sydd wedi dod â dychymyg direidus Nel yn fyw.

Argraffiad cyntaf: 2014

Dymuna'r cyhoeddwyr gydnabod cymorth ariannol Cyngor Llyfrau Cymru.

Lluniau Nel: John Lund

Dylunio: Sion Ilar

Rhif Llyfr Rhyngwladol: 978 1 78461 001 2

Cyhoeddwyd ac argraffwyd yng Nghymru
ar bapur o goedwigoedd cynaladwy gan

Y Lolfa Cyf., Talybont, Ceredigion SY24 5HE
gwefan www.ylolfa.com
e-bost ylolfa@ylolfa.com
ffôn 01970 832 304
ffacs 832 782

Pwy ydy Nel?

Enw: Nel Gwenllian Jones

Ces i fy enwi ar ôl tywysoges. Mae hynny'n fy ngwneud i'n dywysoges hefyd.

Pen-blwydd: Mehefin 5

Cyfeiriad: Tŷ Ni, Aberod, Cymru

Ysgol: Ysgol Gynradd Pen-y-daith

E-bost: nel@ygore.com

Dy dro di yw hi nawr!

Enw: Mia Haf Jones

Pen-blwydd: Mai y g^{fed}

Cyfeiriad: Pen y bont ~~clos~~ y gog 24

Ysgol: Bro ogwr

E-bost: ???

Gair bach gan Nel:

Haia Ffrind,

Mae'n Rhaid ein bod ni'n ffrindiau achos dwi'n Rhannu fy nyddiadur gyda ti.
Fe alli di ysgrifennu dy gyfrinachau i gyd yn y dyddiadur hwn.
Dim ti yw FfG fi achos Cai Cwestiwn yw fy ffrind gorau. Ac yn BEN DANT dim ti yw FfGG fi, achos Mair Mwyn yw fy ffrind gorau gorau i.

Hwyl a direidi,
Nel

Ffyrdd o gadw'r llyfr hwn yn GYFRINACH lwyr:

- Selio'r llyfr gyda selotêp.
- Clymu'r llyfr gyda chwlwm cymhleth.
- Cuddio'r llyfr mewn lle da.

Ffyrdd GWAEL o geisio cadw'r llyfr yn GYFRINACH lwyr:

- Sticio'r llyfr ar gau gyda siwpergliw.
- Rhoi'r llyfr yn dy boced di a'i gadw gyda ti drwy'r amser (problem os nad oes gen ti boced fawr).
- Cuddio'r llyfr mewn lle gwael e.e. o dan dy glustog di neu yn stafell Twm.

Shh!

IonawR

Mis cymysg - amser rhamantus. Ych a pych! Ond cyfle i gasglu arian. Grêt!

✳ Calennig ✳

Amser maith, maith, maith yn ôl roedd plant yn mynd o gwmpas
y dref neu'r pentref yn casglu calennig ar Ionawr 1 - diwrnod
cyntaf y flwyddyn. I lawer o blant roedd calennig yn fwy
pwysig nag anrhegion Nadolig. (Ydy, mae hynny'n wir!)

Mewn rhai mannau
roedd pobol yn gwisgo
fel sgerbwd ceffyl
(y Fari Lwyd) ar Hen
Galan ac yn canu er
mwyn cael diod neu
fwyd fel gwobr.

Dyma un pennill roedden nhw'n ei ganu i gael y calennig:

Blwyddyn newydd dda i chi
Ac i bawb sydd yn y tŷ.
Dyna yw'n dymuniad ni,
Blwyddyn newydd dda i chi.

Weithiau, roedden nhw'n
cael arian ac weithiau
roedden nhw'n cael
cyflaith. Rhyw fath o
daffi oedd cyflaith.

♥ Santes Dwynwen ♥

Dydy hi ddim yn syniad da cwympo mewn cariad. Wel, ddim yng Nghymru ta beth 'ny. Un o'r merched enwocaf yng Nghymru oedd Dwynwen. Roedd hi'n ferch bert iawn, iawn — yn debyg i fi. Hi oedd hoff ferch y Brenin Brycheiniog — yn debyg i fi eto. Fi yw hoff ferch Dad a Mam.

Fe gwympodd Dwynwen mewn cariad gyda dyn o'r enw Maelon Dafodrill. (Pff! Pwy sy'n cwympo mewn cariad gyda dyn o'r enw Maelon Dafodrill?!)

Ond roedd tad Dwynwen wedi trefnu iddi briodi dyn arall.

Nodyn.
Dweud wrth Dad: Dydy e ddim i fod i drefnu i fi briodi neb tan fy mod i'n 40 oed o leiaf.

Fe ddaeth angel at Dwynwen a rhoi moddion hudolus iddi hi er mwyn iddi allu anghofio pob dim am MD. (Rhywbeth tebyg i Fruit Shoot oedd y moddion, siŵr o fod.)

Treuliodd hi weddill ei bywyd yn byw fel lleian ar Ynys Llanddwyn. Dwyt ti ddim eisiau bod yn lleian, coelia di fi. Dydyn nhw ddim yn bwyta Pick 'n' Mix. Dydyn nhw ddim yn mynd i Claire's Accessories. A dydyn nhw ddim yn gwylio X Factor.

Mae ffynnon ar Ynys Llanddwyn hyd heddiw. Mae'r ffynnon yn gwneud hud a lledrith. Mae'n gallu dweud wrth gariadon a fyddan nhw gyda'i gilydd am byth neu beidio.

Ionawr

1

wyddyn
Newydd
Ddiflas!

2

3

4

5

6

7

Dyma fersiwn Nel o bennill Calennig:

Blwyddyn newydd dda yw'r gri,
Rho dy law'n dy boced di
Yna rho y pres i fi,
Blwyddyn dda: hi, hi, hi, hi!

lonawR

8

9

10

11

:

12

13

14

Jôc Nel

Cnoc, cnoc.
Pwy sy 'na?
Dai.
Dai pwy?
Da iawn!
Sut wyt ti?

Ionawr

15

16

17

18

19

20

21

Shh!
Cyfrinach!
Dwi'n dalach na
Barti Blin a dwi'n
dal i dyfu.

22

23

Shh!
Cyfrinach!
Gwelais i Dad a Mam
yn cusanu un tro.
Dyna'r peth gwaethaf
dwi wedi ei weld
erioed!

24

25

Gwneud cerdyn i fy
nghariad, sef *******
Ha ha! Cyfrinach!

Diwrnod
Santes
Dwynwen

26

27

28

Slawer dydd, doedd dynion ddim yn mynd i WHSmith i brynu cardiau i'w cariadon. Roedden nhw'n creu llwyau caru arbennig iddyn nhw. Roedd hynny'n cymryd amser hir achos doedd dim dril ganddyn nhw. Doedd dim hyd yn oed B & Q bryd hynny. Amen. Nodyn i fy nghariad: Mae'n well gen i gacen siocled na llwy garu neu flodau. (Does gen i ddim cariad. A phetai gen i gariad, fydden i ddim yn dweud ei enw wrth neb.)

29

30

31

Chwefror

Bydd hi'n bwrw glaw.
Cyfle i estyn fy ymbarél.
Dwi'n wych am agor ymbarél.

Chwefror

Rydyn ni'r Cymry'n hoffi bwyta crempog. Rydyn ni'n hoffi crempog cymaint mae gennym ni sawl enw arall arnyn nhw: pancws, pancos, ffroes...

Rydyn ni'n eu bwyta nhw ar ddydd Mawrth Ynyd. Mae 'dydd Mawrth Ynyd' bron cymaint o lond ceg â chrempog fawr! Mae'n dod cyn dydd Mercher Lludw, pan fyddai pobol yn starfo eu hunain i gofio am Iesu Grist. Mae'r dyddiad yn dibynnu ar y Pasg. Felly, gall fod ym mis Chwefror neu ym mis Mawrth.

Slawer dydd roedd plant tlawd yn mynd o gwmpas y pentref neu'r dref yn canu am grempog - yr un peth â hel calennig ar Ionawr 1. Roedden nhw'n cael llond eu boliau!

Roedd gan yr hen Gymru bennill am Fodryb Elin Ennog. (Doedd dim teledu na chyfrifiadur ganddyn nhw.) Cer i dudalen 20 i ddarllen yr hen bennill, a 23 am bennill newydd Nel.

Dyma'r rysáit am y crempogau gorau yn y byd.

Cynhwysion

- [ ] 100 gram o flawd plaen
- [ ] Pinsiaid o halen
- [ ] 1 wy
- [ ] Hanner peint o laeth
- [ ] Lard ar gyfer ffrio

*Does dim angen siwgr, meddai Mam. Mae'r siwgr neu'r triog yn mynd ar ben y crempog. Mmm!

Dull

1. Hidla'r blawd a'r halen i mewn i fowlen.

2. Torra'r wy i fowlen arall. Cura'r wy a'r llaeth.

3. Ychwanega'r wy a'r llaeth at y blawd damaid bach ar y tro. Gyda chwisg, cymysga'n dda nes y bydd gen ti gytew (batter) llyfn.

4. Gofynna am help i doddi tamaid o lard mewn padell ffrio - digon i orchuddio gwaelod y badell.

5. Rho beth o'r cytew yn y badell, gan wneud yn siŵr ei fod yn gorchuddio gwaelod y badell. Coginia am 2-3 munud nes y byddi di'n gweld swigod bach yn ffurfio ar dop y cytew.

6. Tro'r grempog drosodd gyda chyllell balet. Coginia eto am 2-3 munud.

7. Bwyta! Does dim angen help i fwyta'r crempogau.

Beth alli di ei roi yn y grempog?

UNRHYW beth. O fewn rheswm. Fydden i ddim yn rhoi pysgodyn aur mewn crempog.

Llenwad 'traddodiadol': Siwgr a lemwn.

Llenwad call: Siwgr a mwy o siwgr. Menyn. Triog. Peanut butter. Jam. Siocled. Popcorn.

Llenwad sawrus: Ham a ham. Caws a chaws. Cyw iâr mewn saws hufen. Brocoli mewn saws caws.

1

Modryb Elin Ennog
Os gwelwch chi'n dda ga i grempog?
Cewch chithau de
A siwgr brown
A phwdin lond eich ffedog.

2

3

4

5

6

7

8

9

10

11

12

13

14

Fersiwn Nel

Modryb Elin Ennog
Os gweli di'n dda ga i grempog?
Gei dithau ddim byd,
Fe fwytais nhw i gyd,
Nel yw'r un enillodd.

15

16

17

18

19

20

21

Jôc Nel

Pam mae bara yn
sâl yn y bore?
Achos mae e'n dost.

Beth am ysgrifennu dy
jôcs dy hun? Bydd dy
ffrindiau wrth eu bodd
yn eu clywed nhw.

22

23

24

25

Shh! Cyfrinach! Mae'r Ddaear yn symud drwy'r amser. Y tro nesaf bydd Mam yn dweud wrtha i am eistedd yn llonydd fe fydda i'n dweud wrthi fy mod i'n gwneud gwaith pwysig iawn - symud o gwmpas yr haul.

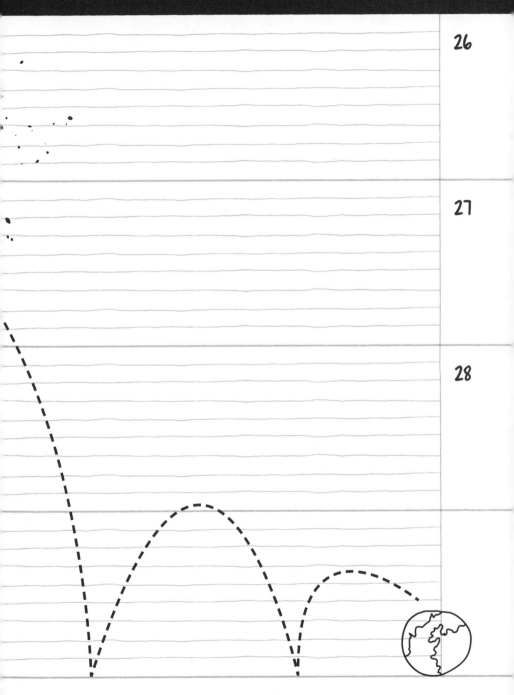

26

27

28

Blwyddyn Naid

Mae 365 o ddiwrnodau mewn blwyddyn fel arfer. Ond bob pedair blynedd mae 366 diwrnod. Pam? Blwyddyn yw'r amser mae'n cymryd i'r Ddaear deithio o gwmpas yr haul.

Mae'n cymryd 365¼ o ddiwrnodau i'r Ddaear gwblhau'r daith hon mewn gwirionedd.

Dyw Duw na Zeus (duw'r haul) ddim yn gwisgo wats, felly bob pedair blynedd mae un diwrnod ychwanegol ar ddiwedd mis Chwefror i neidio i fyny ac i lawr trwy'r dydd.

Cwis Cyfrinachau

Wyt ti wedi gwneud y pethau hyn?
Rho dic neu groes yn y blychau isod ...

☐ Pigo dy drwyn a'i fwyta.

☐ Bwyta losin ar ôl i ti frwsio dy ddannedd.

☐ Rhoi cusan i Mam-gu/Tad-cu/ Taid/Nain heb eu dannedd dodi.

☐ Chwerthin gymaint nes bod tamaid bach o bi-pi yn dod mas.

Dyma'r mis i ddweud:
"Dwi'n falch fy mod
i'n Gymro/Cymraes"
mewn llais uchel iawn.

Mawrth

Hanes Dewi Sant

Dewi Sant ydy nawddsant Cymru. Mae e'n un o'r bobol fwyaf pwysig yng Nghymru - a hynny er ei fod e wedi marw ers y 6ed ganrif.

Roedd e'n cerdded o gwmpas Cymru yn dysgu pobol am Dduw a hynny heb sgidiau am ei draed. Chwarae teg iddo fe, ondefe?

Roedd e'n berson duwiol iawn. Roedd e'n sant o ddyn. Mae'n rhaid ei fod e'n sant. Dim ond dŵr roedd e'n ei yfed. Doedd e erioed wedi yfed sudd afal. Nac ysgytlaeth banana. Ac yn BEN DANT doedd e ddim yn yfed Coke. Wel, roedd Duw yn ei wylio fe. Ond dwi'n meddwl efallai y byddai Duw yn hoffi bach o Coke. Mae e'n llawn swigod sy'n creu hwrli bwrli yn y geg a'r pen a'r stumog ac felly'n dy helpu di i feddwl am syniadau. 'Yr awen' mae beirdd yn galw hynny. (Ond yn anffodus mae e'n pydru dy ddannedd di hefyd.) Doedd Dewi Sant, y sant, ddim yn yfed Fruit Shoot chwaith. Doedd e ddim yn cytuno gyda saethu unrhyw beth o gwbl. Ddim hyd yn oed ffrwythau.

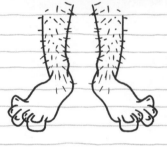

Roedd ei fywyd e'n swnio'n ddiflas iawn, os wyt ti'n gofyn i fi - er bod pobol yn gwrando arno fe pan oedd e'n pregethu. Byddai'n well gen i fod yn Gymro/Cymraes enwog arall fel Catherine Zeta Jones (actores), Tom Jones (canwr sydd ddigon hen i fod yn dad-cu i fi) neu Ioan Gruffudd (actor).

Roedd Dewi wedi ymrwymo ei hun i dlodi. Ond Roedd e'n boblogaidd iawn – fel seren bop. Roedd ganddo lawer iawn o ffans yn Llanddewi Brefi. Roedd cymaint o bobol yn gwrando ar ei gig e un diwrnod doedd Rhai yn y gynulleidfa ddim yn gallu ei weld. Felly, fe wnaeth e wyrth. Fe gododd y tir o dan ei draed a chreu bryn bach. Mae'n Rhaid ei fod wedi teithio dros Gymru i gyd yn gwneud y wyrth hon, achos mae pawb yn gwybod bod Cymru yn wlad fryniog iawn.

Rydyn ni'n cofio am Dewi Sant ar Fawrth 1 mewn sawl ffordd:

Mae oedolion yn gwisgo cennin Pedr neu genhinen.

Budda i'n gwisgo cenhinen, achos mae hi'n drewi!

Mae pobol yn bwyta pice. Pan fydda i'n bwyta pice bydda i'n tynnu'r cyrens allan achos maen nhw'n edrych fel clêr. Does neb yn bwyta clêr, ddim hyd yn oed Dewi Sant.

31

1

Mae plant yn gwisgo hen wisgoedd Cymreig: y bechgyn yn gwisgo gwasgodau a chapiau fflat a'r merched yn gwisgo sgertiau brethyn a ffedogau a hetiau tal, du. Yn y blynyddoedd diwethaf mae'r ffasiwn wedi newid – diolch byth! Nawr, mae merched yn gwisgo ciltiau Cymreig sy'n edrych yn fwy cŵl a'r bechgyn yn gwisgo crysau rygbi Cymru.

2

3

4

5

Mae Diwrnod y Llyfr ym mis Mawrth.

Beth yw dy hoff lyfr di? Beth am dynnu llun o dy hoff gymeriad, neu ysgrifennu amdano fe neu hi?

Mam, ga i aros yn fy mhyjamas a darllen trwy'r dydd?

6

7

FFAITH!

Mae rhai ysgolion yn cynnal eisteddfod ar Ddydd Gŵyl Dewi. Mae'n rhaid curo dwylo hyd yn oed pan wyt ti'n colli.

8

9

10

11

12

13

14

Person
diddorol
iawn

Shh!
Cyfrinach!
Mae Miss Morgan
yn dweud fy mod i'n
berson 'diddorol'
iawn.

15

Mae Mam yn cael rhoi ei thraed lan trwy'r dydd ar un diwrnod y flwyddyn, sef Sul y Mamau.

I Mam

Ocê, ti'n dweud "Dwi'n brysur"
A "Dim nawr" bron iawn o hyd.
Ond ym marn dy annwyl ferch - ie, fi –
Ti yw'r gorau yn y byd.

16

17

18

19

20

21

Fy mhwerau arbennig

Yfed Coke a'i boeri
allan o fy nhrwyn.

Rhoi llond tiwb
o Smarties yn
fy ngheg ar
yr un pryd.

Aros ar ddihun
trwy'r nos.

Rhoi bisgedi cath yng nghreision
ŷd Twm heb i neb wybod (ddim
hyd yn oed Mister Fflwff. Yn
enwedig Mister Fflwff.)

37

22

23

24

25

26

27

28

Pwerau arbennig yr hoffwn i eu cael:

Creu gwynt (ddim yr un math o wynt ag y mae Dad yn ei wneud), iâ, tân a throwynt.

Pw!
Ti'n drewi!

Tyfu blodau i'w rhoi i Mam.

Gwneud gwaith cartref.

Hedfan.

Sicrhau bod Mam yn dweud "Iawn, cariad" bob tro dwi'n gofyn am losin. Yn enwedig losin sy'n mynd 'pop' yn fy ngheg.

29

30

31

Cnoc, cnoc.
Pwy sy 'na?
Twm.
Twm pwy?
Twm-di-twm-di-twm. Nid
fi gnociodd ar y drws.

Ebrill

Dyma'r mis pan mae'n RHAID i chi fod yn ddrygionus – am un diwrnod. O leiaf.

Ffŵl Ebrill

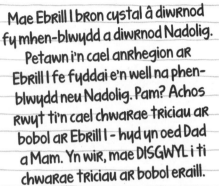

Mae Ebrill 1 bron cystal â diwrnod fy mhen-blwydd a diwrnod Nadolig. Petawn i'n cael anrhegion ar Ebrill 1 fe fyddai e'n well na phen-blwydd neu Nadolig. Pam? Achos rwyt ti'n cael chwarae triciau ar bobol ar Ebrill 1 - hyd yn oed Dad a Mam. Yn wir, mae DISGWYL i ti chwarae triciau ar bobol eraill.

Ffŵl Ebrill - yr hanes

(Hy-hym - clirio gwddwg - i'w ddweud mewn llais pwysig iawn.)

Does neb yn siŵr iawn pwy oedd y Ffŵl Ebrill cyntaf. Yn 1582 roedd gan y Pab Gregory XIII ormod o amser ar ei ddwylo ac un diwrnod aeth ati i newid y calendr. Symudodd e ddechrau'r flwyddyn o Fawrth 25 - Ebrill 1 i Ionawr 1 (oedd, roedd 'diwrnod' cyntaf y flwyddyn yn arfer bod yn 'wythnos blwyddyn newydd'). Yn Ffrainc roedd rhai pobol yn dal i ddathlu ar Ebrill 1. Roedd pobol yn eu galw nhw'n "Ffŵl Ebrill!" ac yn chwarae triciau arnyn nhw. Roedden nhw'n cael cymaint o hwyl nes i'r arfer ddod i Brydain yn y 18fed ganrif. Nawrte, ble mae'r llygoden degan yna? Bydd Mam wrth ei bodd yn ei ffeindio hi yn y gwely ar Ebrill 1. Mae Mam yn joio hwyl a chwerthin peth cyntaf yn y bore!

Y tric gorau erioed

Ro'n i'n credu fy mod i wedi meddwl am y tric gorau erioed llynedd, pan ddwedodd Dad "Pnawn da" wrtha i am wyth o'r gloch y bore (dyna syniad Dad o dric gwreiddiol).

Pwyntiais at fy ngheg, codi fy ysgwyddau fel petawn i'n methu deall beth oedd yn bod ac esgus edrych o fy nghwmpas ymhob man. Edrychais o dan fy nghlustog, o dan y gwely a hyd yn oed o dan Mister Fflwff.

Yn y diwedd, roedd yn rhaid i mi nôl papur a phensel ac ysgrifennu beth oedd yn bod: "Dad, rwy wedi colli fy nhafod."

Does dim hawl chwarae triciau ar ôl 12 o'r gloch y prynhawn. Os wyt ti'n chwarae tric ar rywun ar ôl deuddeg, yna ti, y person sy'n chwarae'r tric, yw'r ffŵl.

Ond, yn lle edrych fel petai e'n gofidio fy mod yn wynebu byw gweddill fy mywyd heb dafod, ymddangosodd yr hyn galla i ond ei ddisgrifio fel gwên ar ei wyneb.

Yn wir, bydden i'n mynd mor bell â dweud ei fod e'n edrych yn bles. Yn falch hyd yn oed. Yn hapus i feddwl fy mod wedi colli'r gallu i barablu am byth. Hmm!

Ebrill

1

Ffŵl
Ebrill!

2

3

4

MAM: Pwy oedd ar y ffôn, Dad? Rwyt ti'n edrych yn ofidus iawn.
DAD: Mae gen i newyddion drwg iawn, iawn i chi. Mae arna i ofn bod yna lifogydd yn yr ysgol. Bydd Ysgol Gynradd Pen-y-daith ar gau trwy'r dydd!
FI: Yeeeeeeesssssssss! Alla i wylio Stwnsh a Strictly ar iPlayer? Allwn ni fynd i Claire's i brynu farnis ewinedd glitter i fi plis? Ac yna dod adref a'i wisgo fe. Pliiiiiiiis!!!

Nodyn
Dydy pob jôc Ffŵl Ebrill ddim yn ddoniol.

5

6

7

MAM A DAD: Ffŵl Ebrill! Ha, ha, ha, ha, ha, ha, ha!
TWM: Ha, ha, ha, ha, ha. Dy wyneb di! Ha, ha, ha!
MAM A DAD: Dy wyneb di! Stopia hi! Plis.
Ni'n mynd i farw'n chwerthin!
TWM: Wel, peidiwch gadael i fi eich stopio chi!
STOMP, STOMP, STOMP. BANG!
(Drws fy stafell yn slamio ar gau.)

8

9

Oeddet ti'n gwybod eu bod
nhw'n tyfu sbageti ar goed yn
y Swistir? Wyt ti'n fy nghredu
i?... Ha, ha, ha! Ffŵl Ebrill! Stori
Ffŵl Ebrill yw hi. Roedd hi ar
newyddion y BBC yn dangos pobol
yn casglu'r sbageti. Ac roedd pobol
yn credu'r stori! Pobol fel ti!!!

10

11

12

13

14

Cer ymlaen i ddarllen am y Pasg ...

15

16

17

18

19

20

21

Pam ydyn ni'n bwyta wyau amser Pasg? Achos maen nhw'n arwydd o fywyd newydd. Rydyn ni'n cofio Iesu Grist yn marw ar y groes ac yna'n atgyfodi (gair posh am ddod yn ôl yn fyw) dri diwrnod ar ôl hynny. Mae Pasg yn amser da hefyd. Rwyt ti'n cael siocled - hyd yn oed yn yr Ysgol Sul.

22

23

24

25

Pam ham wyau Pasg?

Roedd yn arwydd o fywyd newydd i baganiaid a Christnogion. (Doedden nhw ddim yn cytuno ar ddim byd fel arfer!)

Dechreuodd pobol beintio wyau fel arwydd o olau'r haul yn y gwanwyn. Roedd cariadon yn rhoi wyau i'w gilydd fel anrhegion San Ffolant neu ar ddiwrnod Santes Dwynwen. Whit-whiw!

26

27

28

Roedd Fabergé yn enwog iawn am addurno wyau gyda gemwaith. Roedd pobol slawer dydd yn defnyddio eu hwyau i gyd cyn y Grawys. Yna roedden nhw'n stwffo eu hunain â chrempog cyn dydd Mercher Lludw.

Nodyn
Dweud wrth Mam ei bod hi'n 'draddodiadol' i stwffo dy hunan gyda chrempog ac wyau Pasg.

29

30

Addurno wy

Mae mwy i wyau na'u berwi nhw a'u sgramblo nhw a'u potsio nhw a'u ffrio nhw a thaflu rhai sydd wedi pydru at dy elynion. ('Wyau clwc' rydyn ni'n galw'r rhai pwdr.) Galli di addurno wyau a'u rhoi nhw'n anrhegion.

Beth fydd ei angen arnat ti?

Wy ffres. Pin. Soser. Paent. Rhuban a deunydd addurno eraill.
Dull: Gwna dwll bach iawn ar waelod yr wy gan ddefnyddio'r pin. Gad i du mewn yr wy lifo allan trwy'r twll ac i mewn i'r soser. Unwaith bydd yr wy yn wag addurna fe gyda phaent a rhuban a beth bynnag rwyt ti'n dymuno. Gad i dy ddychymyg fynd yn rhemp!

Nodyn
Dad a Mam, mae'n well gen i wyau siocled na wyau clwc.

Mai

Mis 'mwyn' - yr un
peth â fy ffrind i,
Mair Mwyn.

Hanes Twm Siôn Cati

Mmm, dwi ddim yn siŵr beth dwi am fod ar ôl tyfu fyny. Ond mae gwaith Twm Siôn Cati yn swnio'n gyffrous iawn.

Roedd e'n debyg iawn i Robin Hood ac roedd e'n codi ofn ar Doctor Who hyd yn oed.

TREGARON

Roedd e'n cuddio mewn gwrychoedd ac yn dychryn pobol trwy weiddi: "Eich arian neu eich bywyd?!" Yna roedd pobol yn rhoi eu harian nhw i gyd iddo fe.

Cafodd ei eni mewn rhan beryglus iawn o Gymru, sef Tregaron, ac roedd e'n byw mewn ogof yn y mynyddoedd uwchben y dref. Ond pwy oedd y Twm go iawn? Roedd bardd o'r enw Thomas Jones yn byw yng Nghymru rhwng 1530 ac 1620. Roedd e'n dwyn arian oddi wrth bobol gyfoethog, ond doedd e ddim yn rhoi'r arian i bobol dlawd. Ond roedd ochr garedig iddo fe hefyd. Doedd e ddim yn lladd pobol. Roedd yn well ganddo ddefnyddio bwa a saeth i'w hoelio nhw i'w cyfrwy.

Eisteddfod! Eisteddfod!

Gwaith cartref Nel - deg ffaith am Eisteddfod yr Urdd:

1. Mae Eisteddfod yr Urdd ym mis Mai fel arfer.

2. Mae'n para wythnos.

3. Does dim rhaid i ti gystadlu ar y llwyfan o gwbl.

4. Galli di gystadlu trwy dynnu llun neu ffotograff.

5. Does dim rhaid i ti wneud hynny hyd yn oed.

6. Bydd rhywun yn cael cam.

7. Byddi di'n gwisgo'r peth anghywir am dy draed. Os wyt ti'n gwisgo sandalau mae angen welingtons. Os wyt ti'n gwisgo welingtons mae angen sandalau.

8. Mae popeth yn digwydd ar y Maes - gair arall am gae ydy 'Maes'.

9. Mae llawer o bethau i'w gwneud ar y Maes. Mae llawer o stondinau a gweithgareddau ac mae Dad a Mam yn cwyno bod popeth yn ddrud!

10. Bydd ciw yn McDonald's ar y ffordd adref.

1

2

3

4

5

6

7

Rheolau Cystadlu

"Nid y cystadlu sy'n bwysig, ond y cymryd rhan." Celwydd noeth. Mae pawb yn gwybod mai ennill sy'n bwysig. Yna rwyt ti'n cael tystysgrif a chwpan neu fedal a dy lun ar safle we'r ysgol ac mae'r Pennaeth yn dweud "Da iawn ti" o flaen pawb yn y gwasanaeth. Ac mae pawb yn curo dwylo i dy longyfarch di. Pawb! Hyd yn oed dy elyn pennaf di.

Mai

8

9

10

11

12

13

14

Pwy sydd wedi ysgrifennu'r geiriadur? Dic, Sion, Hari!

Mai

15

16

17

Diwrnod Twm Siôn Cati

18

19

20

21

Mai 17 ydy Diwrnod Rhyngwladol Twm Siôn Cati. Nodyn i holi Dad: Oes hawl dwyn arian oddi wrth bobol gyfoethog er cof am Twm? Os felly, ga i ddwgyd arian o waled Dad? Hmm.

22

Cofia brynu llyfr straeon newydd Nel. Bydd yn y siopau ym mis Mai.

23

24

25

26

27

28

Beth am wneud mwgwd i gofio am Twm?

Defnyddia gardfwrdd a lastig i wneud y mwgwd. Fe alli di addurno'r mwgwd, neu ei beintio â dy hoff liw.

29

30

31

Beth am roi
geiriau yng ngheg
Mister Fflwff?

Mehefin

Mis gorau'r flwyddyn.
Pen-blwydd Nel!

Pen-blwydd hapus, Nel!

Mehefin 5 - pen-blwydd Nel! Hwrê! Gwych! Bendigeidfran! Cŵl! Mehefin 5 yw diwrnod gorau'r flwyddyn i gael dy ben-blwydd. Mae pawb yn gwybod hynny. Mae Mehefin hanner ffordd trwy'r flwyddyn. Mae chwe mis ers y Nadolig diwethaf, ac mae chwe mis tan y Nadolig nesaf.

Mis gwaethaf y flwyddyn i gael dy ben-blwydd yw mis Rhagfyr. Mae deuddeg mis tan y Nadolig nesaf. Mae Cai Cwestiwn yn cael ei ben-blwydd ar Ragfyr 25 ac er ei fod yn rhannu ei ben-blwydd gyda Iesu Grist dydyn nhw byth yn rhannu parti yn lle peli Cheez Pleez. Mae e'n dweud ei fod e'n cael llai o anrhegion pen-blwydd a llai o anrhegion Nadolig achos bod y ddau ddigwyddiad ar yr un dydd.

Dwi ddim yn credu bod hyn yn deg o gwbl. Wnaeth Cai ddim dewis cael ei eni ar y diwrnod hwn. Syniad Nel: Dylai Cai Cwestiwn ofyn i'w fam a'i dad, "Ar bwy mae'r bai 'mod i'n cael fy mhen-blwydd ar Ragfyr 25?"

Cynllun dathlu pen-blwydd Nel

Dwi ddim eisiau parti eleni. Dwi eisiau sleepover. Dwi eisiau sleepover i fy ffrindiau gorau i gyd. Fydda i ddim yn gallu gwahodd Cadi Cwsg achos mae hi'n llewygu o hyd. Mae Mam yn dweud ei bod hi bron â llewygu jest yn meddwl am gael fy ffrindiau draw ar gyfer sleepover.

Pethau i'w gwneud yn sleepover Nel:

Cael disgo.

Bwyta losin.

Aros ar ddihun trwy'r nos.

Rhannu cyfrinachau.

Agor anrhegion.

Troi gwallt Dad a Mam yn wyn.

Mehefin

1

2

3

4

Pen-blwydd Nel!

Diwrnod Pwysig Iawn!

6

7

Rhestr Anrhegion Pen-blwydd Nel:

* Mobeil.
* Sgwter electronig.
* Sglefrfwrdd pinc.
* SatNav - i Siôn Corn allu ffeindio fy nhŷ i gyntaf ar Noswyl Nadolig.

Mehefin

8

9

10

11

12

Cer
i dudalen 76 i
ddarllen stori'r
Dywysoges
Gwenllian.

Diwrnod
Dywysog
Gwenllia

13

14

Ym mis Mehefin mae diwrnod
arbennig Dad. Dyma gyfle
i ddweud "Da iawn, Dad.
Rwyt ti'n ffantastig."

Cer
i dudalen 73 i
ddarllen pennill
arbennig Nel
i Dad.

15

16

17

18

19

20

21

I Dad

Mae dy fola di fel mynydd
A dy wallt yn mynd yn brin.
Ond sdim ots mor hen ti'n edrych,
Ti'n Dadi grêt i'r ferch fach hyn.

22

23

24

25

26

27

28

Ble mae gwenyn yn
mynd ar ôl priodi?
Ar eu mis mêl!

29

30

Y Dywysoges Gwenllian

Roedd y Dywysoges Gwenllian yn dywysoges go iawn. Roedd hi'n ferch i Dywysog Cymru, sef Llywelyn Ein Llyw Olaf.

Roedd hi'n ddewr iawn, iawn, iawn. Cafodd ei chipio o'i chartref pan oedd hi'n flwydd a hanner oed a'i charcharu yn Lloegr. Pam ham? Achos roedd ar bawb yn Lloegr ei hofn hi. Doedd hi ddim yn ddychrynllyd o ddireidus na dim byd felly, ond roedd hi'n ferch i Llywelyn. Doedd y Saeson ddim eisiau Gwenllian yn rheoli Cymru.

Cafodd copa yn y Carneddau ei enwi ar ei hôl hi - Carnedd Gwenllian.

Dwi ddim yn mynd i'r carchar am oes, ond ar wahân i hynny rydw i a'r DG fel efeilliaid.

Galli di ffeindio llythrennau fy enw i yn enw 'GWENLLIAN'. Mae Twm yn dweud dy fod ti'n gallu ffeindio llythrennau 'NA, NEL' yn enw 'GWENLLIAN' - ond dwi ddim yn gwrando arno fe.

Gorffennaf

Gwych! Mae'r ysgol yn cau ac yn aros ar gau am wythnosau!

1

Nodyn

Mae'n Rhaid i mi ymarfer fy nhonsils ar gyfer cyngerdd yr haf. Do, Re, mi, ffa, so, la, ti, do!

2

3

4

I'w ganu mewn llais operatig fel Katherine Jenkins neu Bryn Terfel:

Mi welais jac y do
Yn eistedd ar ben to,
Het wen ar ei ben
A dwy goes bren,
Ho, ho, ho, ho, ho, ho.

5

6

7

Ar lan y môr mae rhosys cochion,
Ar lan y môr mae lilis gwynion,
Ar lan y môr mae 'nghariad inne
Yn cysgu'r nos a chodi'r bore.
Bing, bong, bing bong be
Bing, bong, bing bong be.

8

Ar lan y môr mae chips a sosej,
Mae hufen iâ a Flake i bwdin,
Dwi'n gwneud twll mawr a chladdu Twm
A mynd i'r môr, bwm, bwm, bwm, bwm.

9

10

11

12

13

14

15

16

17

18

19

20

21

Y Sioe Frenhinol

Mae'r Sioe Frenhinol yn Llanelwedd ym mis Gorffennaf. Mae'r sioe yn debyg i Eisteddfod ond mai anifeiliaid sy'n cystadlu. Dydyn nhw ddim yn canu, ond galli di eu clywed nhw'n crawcian, brefu ac udo am y gorau. Mae pobol yn dod o bob rhan o Gymru. Dydy pawb ddim yn dod mewn car. Mae rhai yn dod mewn tractor neu jac codi baw.

"Jiw, jiw"

Maen nhw'n parcio eu tractors a'u jac codi baws ar bwys ei gilydd ac mae pawb yn dweud "Jiw, jiw" ac yn edmygu cerbydau hwn a'r llall. Cer i dudalen 85 i ddarllen mwy am y Sioe Frenhinol ...

22

23

24

25

26

27

28

Hyd yn oed os yw hi'n braf bydd llawer o bobol yn treulio trwy'r dydd yn siarad am y tywydd. Mae pobol yn arbennig o hoff o ddweud pa mor wlyb mae hi wedi bod dros y deuddeg mis diwethaf. Mae'n rhaid i ti siglo dy ben os wyt ti'n dweud hynny ac mae'n rhaid i ti nodio dy ben os wyt ti'n gwrando.

29

30

31

Beth am wneud lluniau o anifeiliaid wedi'u creu
o ddau anifail gwahanol a rhoi enw iddyn nhw
e.e. pysgarŵ (pen pysgodyn/coesau cangarŵ),
seffyl (hanner sebra/hanner ceffyl)?

Awst

Hwrê! Mae'n haaaaf!

Rhestr Mam o bethau i Nel eu gwneud dros yr haf:

* Ymarfer llawysgrifen.

* Dysgu tablau (dwi'n gwybod fy nhablau yn barod, Mam!)

* Darllen.

Rhestr Nel o bethau i'w gwneud dros yr haf:

* Aros lan mor hwyr â phosib.

* CHWARAE yn yr haul!

* Darllen.

* Gwylio teledu a bwyta losin.

Wyt ti wedi bod ar dy wyliau?

Dwi wedi bod i lwyth o leoedd gwahanol — i Ffrainc, a Menorca, ac Aberystwyth, a Center Parcs, a Hafan y Môr ym Mhwllheli. A dwi wedi bod i aros mewn carafán yn yr Eisteddfod Genedlaethol. A chael un diwrnod sych! Dyma fy ngherdyn post i Mair Mwyn eleni...

Haia Mair,

Nel sydd yma! Dwi'n cael amser ffantas-bril-gwych yn Sbaen! Dwi'n treulio trwy'r dydd yn y pwll nofio, a dwi ond yn dod allan o'r dŵr i fwyta hufen iâ ac yfed Ribena cryf. Dwi wedi gwneud ffrind newydd o'r enw Hannah. Mae hi'n dod o Gymru hefyd ac mae hi'n hoffi nofio a hufen iâ hefyd. Rydyn ni'n mynd i'r disgo gyda'n gilydd bob nos ac yn aros lan yn hwyr iawn, iawn - tan hanner nos weithiau! Ni'n FfG nawr. Edrych ymlaen i dy weld di, er mwyn i ti gael clywed fy hanes i ar y gwyliau i gyd. Mae'r haul yn gwenu bob dydd fan hyn. Flin i glywed ei bod hi'n bwrw glaw yng Nghymru.

Cariad mawr gorau,

NEL XXX

O.N. Paid â phoeni, ti yw fy FfGG i o hyd. Am byth.

Beth am ysgrifennu cerdyn post ffug i rywun enwog? Does dim rhaid i'r person enwog fod yn fyw. Galli di anfon cerdyn ffug i unrhyw un yn y byd, neu yn y nefoedd, neu uffern hyd yn oed. Galli di esgus dy fod ti unrhyw le ar y Ddaear hefyd – neu y tu hwnt i'r Ddaear, efallai, ar y lleuad neu blaned Mawrth.

Haia, dwi ar ben yr Wyddfa. Ga i ddod lawr nawr?

1

2

3

4

5

6

7

Beth mae Prifardd yn ei wneud ar ôl iddo flino eistedd yn y Pafiliwn? Sefyll ar ei draed.

8

9

Buon ni i lan y môr heddiw ac fe
gasglais i lond bwced o gregyn.
Ro'n i wedi llenwi bag llaw Mam
gyda chregyn hefyd tra oedd
hi'n darllen *Hi Yw Fy Ffrind* gan
ei hoff awdures hi, Bethan
Gwanas, ond roedd Mam wedi
MYNNU fy mod i'n tynnu'r
cregyn hynny allan yn ofalus.

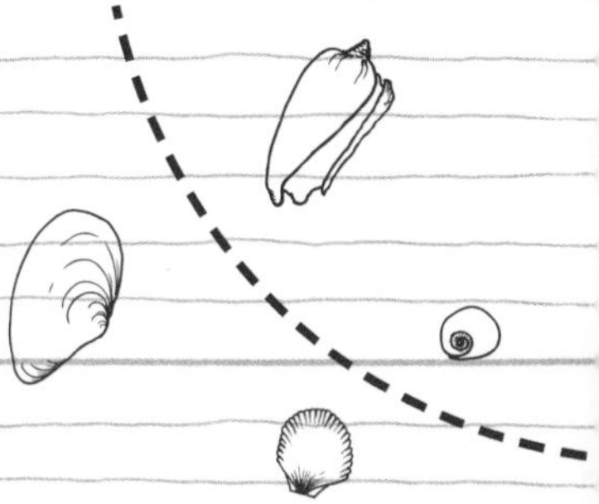

10

11

12

13

14

AR ôl dod adref penderfynais
wneud anrheg bert i Mam
gyda'r cregyn. (I ddangos iddi
nad oedd eisiau gwneud yr holl
ffys yna am y cregyn Roiais i yn
ei bag hi.) Dwi mor glyfar dwi
wedi gwneud bocs trysorau...

Cer i dudalen 97 i
weld sut mae gwneud
bocs trysorau.

Awst

15

16

17

18

19

20

YUM YUM

21

YUM YUM ☺

Pethau i'w Rhoi yn fy mocs TRysoRau:
* Fflwff o fy motwm bola.
* Snobs wedi sychu.
* CRachen o'R tRo wnes i gwympo aR fy mhen-glin.

22 Dydd mercher
Aethon ni i

23

24

25

> **Nodyn**
> Holi Mam ydy
> hi'n rhy gynnar i
> ysgrifennu rhestr
> i Siôn Corn.

Dydd Sadwrn

Heddiw Treulion ni y diwrnod efo Sarah ar y traeth sydd yn L'langranog. Ges i lot o hwyl. Ag wedin gaethon ni bolognese roedd y bwyd yn neusiawn hefyd ag wedin cyn gadael roedd ni di cynal tân.

26

27

28

Beth sydd ei angen arnat ti i wneud bocs trysorau?
- ⭕ Hen focs.
- ⭕ Paent.
- ⭕ Cregyn.
- ⭕ Glud Mod Podge.
- ⭕ Brwsh.
- ⭕ Ffelt.
- ⭕ Brwshys.
- ⭕ Siswrn.

Tro'r dudalen i ddarllen beth i'w wneud nesaf.

29 <u>Dydd Mawrth</u>

Heddiweg i am wac hir o tresaith
i traeth penbryne gesi lot o hwyl

30 <u>Dydd Merchen</u>

3 <u>Dydd Iau</u>

Heddiw esi i byg farm ero
fy mam Dad brawd ag greta.
Fe buyton ni bygs ag das
bygs ag wedin aethon ni
ir traeth ero greta gaethon
ni lot o hwyl.

Medi

'Nôl i'r ysgol, gyda llwyth o bethau grêt yn fy mag newydd!

'Nôl i'r ysgol!

Bw, hiss! (Wedi dweud hynny, dwi YN edrych ymlaen i weld fy ffrindiau i gyd.)

Pethau pwysig mae'n rhaid eu cael ar gyfer y tymor newydd:

Amynedd gyda dy athro/athrawes. Mae e/hi newydd ddechrau yn ôl yn y gwaith ar ôl chwech wythnos o wyliau! Mae hynny'n mynd i fod yn sioc, chwarae teg. Felly, dim rhyfedd ei fod e/hi yn gweiddi tamaid bach ar y diwrnod cyntaf. (Nodyn: aros nes yr AIL ddiwrnod yn yr ysgol cyn gwneud rhywbeth drygionus sy'n mynd ar nerfau'r athro/athrawes.)

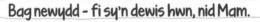

Bag newydd - fi sy'n dewis hwn, nid Mam.

Llyfr ysgrifennu A4 newydd.

Peniau ffelt newydd.

Pen hud sy'n gallu rhwbio camgymeriadau allan heb fy help i - a hynny mewn tri lliw gwahanol: glas, du a choch.

Pensel.

Miniogwr miniog iawn.

Rwber MAWR.

Amserlen yr wythnos

Llun	Clwb hwyl hwyr. Ymarfer y recorder.
Mawrth	Gwers Recorder.
Mercher	Urdd. Dysgu tablau erbyn dydd Iau.
Iau	Prawf tablau. Nofio. Noson rydd. Ffrind yn dod i chwarae!
Gwener	Ymarfer Corff. Pizza i swper! Cofio tocyn iach bob dydd! Siocled yn cyfri fel tocyn iach ar ddydd Gwener.
***Sadwrn**	Dau ddiwrnod o hwyl...
***Sul**	Ysgol Sul. Coffi a bisgïen Smarties enfawr gyda ffrindiau Mam ar ôl ysgol Sul tra ei bod hi'n siarad am bobol eraill y capel.

* Dau ddiwrnod o hwyl nes gorfod ymarfer geiriau sillafu ar gyfer dydd Llun. Beth am i ti greu amserlen hefyd?

1   Dydd Gwener

Heddiw es i
gadael aber
Porth. Doedd fi
ac Ioan yn hapus
i gadael aberPorth achos medd ni eisiau
mynd adref ag wedin es i adlan i
chwarae ar y stryd.

Y peth gwaethaf am fynd yn ôl i'r ysgol: Mae'n Rhaid mynd yn ôl i'r ysgol.

2   Dydd Sadwrn

Heddiw dringan ni pen y lan efo fy mam
Dad brawd ag im fel diood Brrwd fi.
roedd en waith anodd on naethon ni
fe. Ar y top roedd ni yn tynu lluniau ag
yn cael picnic.

3

4

5

6

7

Y peth gorau am fynd yn ôl i'R ysgol: Rwyt ti'n cael lot o bethau newydd.

8

9

10

11

12

13

14

Y tymor newydd:

Hoff bwnc: Ydy amser cinio yn bwnc?
Ail ddewis - canu yn y côr. Bydda
i ar X Factor cyn bo hir.
Cas bwnc: Oes rhaid dewis dim ond
un? Hmmm. Mathemateg, 'te.
Hoff athrawes: Miss Morgan. Dyw hi ddim
wedi gweiddi arna i o gwbl hyd yn hyn.
Ffrindiau gorau: Mair Mwyn a Cai Cwestiwn.
Gelynion: Barti Blin a Sheryl Peril.

15

16

wRnod
Owain
Glyndŵr

O.G.

Beth am wisgo fel tywysoges neu filwr i gofio am Owain Glyndŵr, dyn dewr iawn a'r olaf i arwain gwrthryfel yn erbyn brenin Lloegr?

17

18

19

20

21

Jôc Nel

Beth ddysgaist ti yn yr ysgol heddiw? Dim digon. Mae'n Rhaid i mi fynd yn ôl fory!

22

23

24

Nodyn aRall
Dweud wRth Mam
ei bod hi'n amser
ysgrifennu Rhestr
i Siôn Corn.

25

26

27

28

29

30

Syniadau Mam ar gyfer bocs bwyd
Brechdan tiwna a chorn melys neu gawl cartref Mam
Ffyn moron
Grawnwin
Iogwrt
Sudd afal

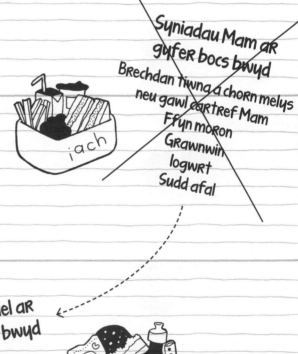

iach

Syniadau Nel ar gyfer bocs bwyd

Creision
Cookies Miss Lidl
Cacen Mr Morrisons
Smarties
Fruit Shoot

iym

Hydref

Mis arswydus
a dychrynllyd
o dda!

Calan Gaeaf - ddoe

Mae Calan Gaeaf yn hen ŵyl Geltaidd, ti'n gwybod. Roedd yr hen, hen Gymry yn nodi diwedd yr haf a dechrau'r gaeaf ac roedden nhw'n cael LOT o hwyl. Roedden nhw'n credu bod ysbrydion yn mynd i ddod i'r tŷ. Wwwww! Felly, roedden nhw'n cynnau tân ac yn gwisgo masgiau i gadw'r ysbrydion oddi yno. (Does dim tân iawn gen ti? Gofynna i Dad a Mam roi'r gwres canolog ymlaen, 'te.)

Roedd hi'n amser prysur iawn hefyd. Roedd yn rhaid casglu bwyd i baratoi ar gyfer gaeaf hir... a thywyll... ac oer.

Calan Gaeaf - heddiw

Calan Gaeaf - un o hoff adegau Nel o'r flwyddyn. Pam ham? Achos mae'n dymor hwyl a helynt!

Rydyn ni'n dal i gael lot fawr o hwyl! Hwrê! Mae pobol yn prynu pwmpenni ac yn gwneud cawl gyda'r tu mewn ac yn cerfio wyneb arswydus ar y bwmpen i godi ofn ar ysbrydion drwg. Hw-hw-ha-ha!

Mae plant yn mynd o dŷ i dŷ yn gofyn am losin neu arian. Maen nhw'n gweiddi - "Da, da, da neu drwg, drwg, drwg?"

Afal - ffrwyth y dyfodol?

Wyt ti eisiau gweld dy ddyfodol di? Roedd yr hen Gymry'n 'twco afalau' er mwyn gweld beth fyddai'n digwydd iddyn nhw.

Mae 'twco afalau' yn swnio fel LOT o hwyl. Rwyt ti'n rhoi afalau mewn powlen FAWR o ddŵr ac yn defnyddio dy ddannedd i drio dal afal. Os wyt ti'n dal afal mawr? Ti'n mynd i gael LOT o lwc yn y flwyddyn nesaf. Os wyt ti'n dal afal bach? Caws caled!

Wyt ti eisiau gwybod pwy fyddi di'n priodi? Slawer dydd, roedd merched yn pilio croen afal a'i daflu dros eu hysgwydd. Yna, roedden nhw'n edrych a oedd y croen wedi cwympo mewn siâp llythyren. Os oedd e mewn siâp llythyren, dyna lythyren gyntaf enw'r person fydden nhw'n ei briodi! (Rheol Nel - Os na fyddi di'n taflu croen afal dros dy ysgwydd, does dim rhaid i ti briodi o gwbl! Grêt!)

Beth sy'n mynd drwy feddwl Nel? Rho eiriau yn fy ngheg i.

113

1

2

3

4

JôC Nel

Beth wyt ti'n ei wneud pan ti'n gweld ysbryd? Rhedeg o 'na. Beth arall?

5

6

7

8

9

10

11

12

13

14

Arswyd y byd!
Beth fyddi di'n ei wisgo ar Hydref 31?
Gwisg ... gwrach, dewin, sgerbwd,
ysbryd, pwmpen, Draciwla-ha-ha!

15

16

17

18

19

20

21

Nodyn arall eto
Atgoffa Mam, mae'n
hwyr bryd ysgrifennu
Rhestr i Siôn Corn (neu
fydd gan gorachod
Siôn Corn DDIM GOBAITH
gwneud yr HOLL bethau
sydd ar fy Rhestr i).

Hydref

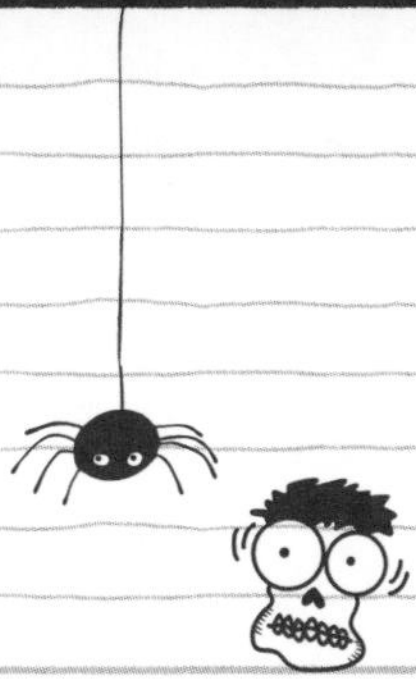

22

23

24

25

26

27

28

Beth am gerfio wyneb digri ar bwmpen ar gyfer Calan Gaeaf? Gofynna i oedolyn dy helpu di.

29

30

31

Calan
Gaeaf

Ysbryd drwg!

Rhybudd - Paid â darllen y stori
hon os wyt ti'n berson ofnus.
Mae'n stori ddychrynllyd!
Fyddet ti'n mentro edrych trwy
dwll clo drws yr eglwys ar Galan
Gaeaf? Roedd yr hen Gymry'n credu
y byddet ti'n gweld ysbrydion y bobol
fyddai'n marw yn y flwyddyn i ddod!
(Cofia di, roedd yr hen Gymry'n
credu unrhyw beth! Roedden
nhw'n bobol ofergoelus iawn.)

Tachwedd

Mis Tachwedd ydy cas fis Mister Fflwff.
Dydy cathod a chŵn ddim yn hoffi
Tachwedd 5 achos sŵn y tân gwyllt.

Tachwedd

1

2

3

4

Bydd. Yn. Of-al-us!

Am unwaith, mae Dad a Mam yn iawn. Rhaid bod yn ofalus ar noson tân gwyllt.

1. Dim ond oedolion sydd i fod i danio'r goelcerth a'r tân gwyllt.

2. Mae'n rhaid cadw draw oddi wrth y fflamau a'r tân gwyllt.

3. Oes, Mister Fflwff, mae'n rhaid cadw cathod a chŵn yn y tŷ.

Tro'r dudalen i ddarllen am Guto Ffowc ...

5

Noson Guto Ffowc

6

7

Jôc Nel

Cnoc, cnoc
Pwy sy 'na?
Neb.
Neb pwy?
Does neb yna! Gwrandwch tro cyntaf, wnewch chi!

Tachwedd

8

9

10

11

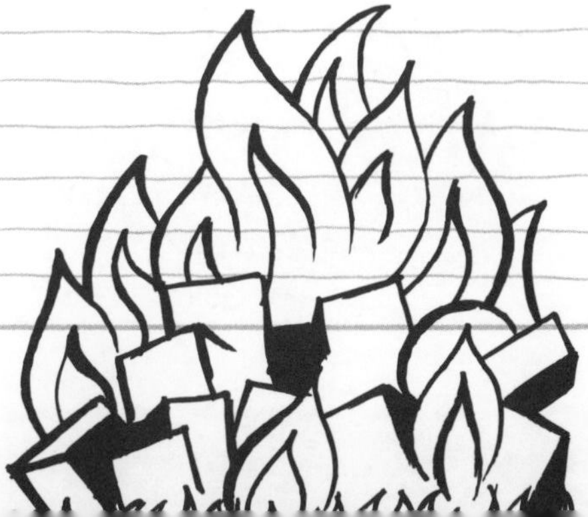

12

13

14

Pwy oedd Guto Ffowc?

Sais oedd Guto Ffowc, ond rydyn ni'n dal i gofio amdano fe yng
Nghymru bob blwyddyn - trwy ei roi e ar ben coelcerth fawr a
gofyn i oedolyn gynnau'r goelcerth a gwylio Guto'n llosgi.

Pam yn y byd? Fe driodd e chwythu senedd Lloegr i fyny. (Mae hynny'n
waeth na dwyn fish fingers Twm tra'i fod e'n chwarae ar yr iPod.)
Fe guddiodd ef a'i ffrindiau 36 o gasgenni o bowdr gwn yn seler y
senedd er mwyn ei chwythu i fyny ar Dachwedd 5, 1605. Ond cafodd
Guto Ffowc ei ddal yn y seler. Cafodd ei daflu i'r carchar a'i grogi.

Heddiw mae pobol yn mynd i weld coelcerth a thân gwyllt ar Dachwedd
5. Mae plant yn casglu arian cyn y noson, yn cario'r 'guy' mewn whilber
ac yn gofyn am "Geiniog i Guto Ffowc, os gwelwch chi'n dda."

15

16

17

18

19

20

21

Amser poeth!

Roedd Cymry slawer dydd yn cynnau coelcerth ar Noson Calan Gaeaf. Byddai plant a phobol yn dawnsio o gwmpas y goelcerth yn aros am ysbryd dychrynllyd. Roedd yr ysbryd yn edrych fel hwch ddu, hyll heb gynffon a'i henw oedd yr Hwch Ddu Gwta. Roedd yn rhaid i bawb redeg oddi yno cyn i'r fflamau ddiffodd neu byddai'r Hwch Ddu Gwta yn eu dal. Roedden nhw'n canu wrth redeg oddi yno, "Adref, adref am y cyntaf. Hwch Ddu Gwta a gipia'r olaf."

22

23

Shh!
Cyfrinach!
Mae Rhieni'n dweud
celwydd weithiau, pan mae'n
eu siwtio nhw e.e. dydy hi ddim
yn wir y bydd dy lygaid di'n troi'n
sgwâr os wyt ti'n gwylio gormod
o deledu. Galli di wylio'r teledu
trwy'r dydd a bydd dy lygaid
di'n aros yn grwn.

24

25

26

27

28

Gwreichion creadigol

Beth am ysgrifennu darn i ddisgrifio tân gwyllt?
Cofia dy fod ti'n meddwl am y tân gwyllt ym mhob ffordd...
Beth wyt ti'n gweld? Beth wyt ti'n clywed? Beth wyt ti'n arogli?
Sut wyt ti'n teimlo wrth eu gwylio nhw?
Pa eiriau sy'n dod i'r pen wrth feddwl am dân gwyllt? Disglair,
llachar, llosgi, lliwgar, fflachio. Fflam, mwg. Bang, pop. Du, dim.

29

30

Nodyn

Hwrê! Mae'n amser e-bostio fy Rhestr at Siôn Corn (llawer cyflymach na phostio). Mae Siôn Corn yn edrych ymlaen at weld fy Rhestr i. Mae Mam yn dweud ei bod hi'n "werth ei gweld".

Rhagfyr

Oes rhaid aros nes
Rhagfyr 25 i agor
fy anrhegion?

Rhestr Nadolig Nel

Ceffyl.

Sebra.

Camel.

Ceffra.

Sebel.

Siocled.

Hofrennydd.

Barbie â gwallt hir sydd ddim wedi tanglo fel nyth aderyn.

Llyfr sy'n darllen ei hun.

Pen lliw hud.

Rhaglen gyfrifiadur sy'n gwneud gwaith cartref drostoch chi.

Farnis ewinedd sy'n disgleirio yn y nos.

Mwy o siocled.

Nodyn

Mae'n hollol iawn i edrych ymlaen at gael anrhegion arbennig. Mae derbyn anrhegion (ac, ok, eu rhoi nhw hefyd) yn draddodiad ers Oes y Cerrig Newydd. Ac mae hynny tua 10,000 o flynyddoedd 'nôl. Ffiw!

Nodyn

Bydd Mam yn stressed cyn Nadolig achos bod ganddi hi ormod o bethau i'w gwneud. Bydd hi hefyd yn stressed achos bod cyn lleied o bethau gan Dad i'w gwneud.

Cocadwdldŵ!

Roedd y Plygain yn rhan bwysig o'r Nadolig i'r hen Gymru. Ystyr 'plygain' yw 'caniad y ceiliog'.

Roedd yr hen Gymry yn mynd i'r eglwys yn gynnar iawn ar fore Nadolig – tri o'r gloch, fel arfer! (Dydy hynny ddim yn gynnar iawn. Un tro codais i am ddau y bore ar fore Nadolig.)

Doedd pobol ifanc ddim yn mynd i'r gwely o gwbl slawer dydd. Roedden nhw'n cwrdd mewn cegin ffarm i wneud cyflaith (taffi) ac addurno'r tŷ gyda chelyn a dail gwyrdd. Roedden nhw'n cael LOT o hwyl.

Roedd pobol yn cario canhwyllau ar y ffordd i'r Plygain yn yr eglwys. Mae rhai capeli ac eglwysi hyd heddiw yn cael gwasanaeth golau cannwyll ar fore Nadolig.

1

2

3

Weithiau byddai 30 carol yn
cael eu canu mewn Plygain
- Roedd gan ambell garol
12 pennill! 12 pennill?! Byddai
Simon Cowell yn gandryll!

4

Llun Nel o
Simon Cowell

5

6

7

Drama'r Nadolig:
Bydd pawb eisiau
bod yn Mair, a
fydd neb eisiau
bod yn ddafad.

8

9

10

11

Panto!

Dwi'n lico mynd i'R panto amseR Nadolig i fwyta losin a gweiddi "Bw!", "Hiss!" a "Mae e tu ôl i ti!" Dwi'n dda iawn am wylio panto achos mae e'n bwysig iawn i weiddi aR dop dy lais.